TRUMPET

トランペット・アルバム
クラシック名曲選

JN057313

伴奏
CD付

（株）ショパン

CONTENTS

曲 目 解 説

誰も寝てはならぬ　歌劇『トゥーランドット』より
Nessun dorma! "Turandot"
Giacomo Puccini

古代中国の北京を舞台に、絶世の美女トゥーランドット姫とカラフ王子の結婚を巡る物語を描いた歌劇『トゥーランドット』は、ペティ・ド・ラ・クロワ（1653〜1713）が出版した『千夜一夜物語』をもとに劇作家のカルロ・ゴッツィ（1720〜1806）が1762年に著しました。作曲はイタリアの作曲家ジャコモ・プッチーニ（1858〜1924）によるものですが、未完成のまま1924年に逝去してしまったため、フランコ・アルファーノ（1875〜1954）が補筆し、1926年にイタリアのミラノ・スカラ座で初演されました。
この「誰も寝てはならぬ」は、第3幕の月に照らされた宮殿の庭でカラフ王子によって歌われるアリアです。

あなたの声に私の心は開く　歌劇『サムソンとデリラ』より
Mon cœur s'ouvre à ta voix "Samson et Dalila"
Camille Saint-Saëns

旧約聖書『士師記』を題材とした歌劇『サムソンとデリラ』は、紀元前のパレスチナを舞台に、イスラエルの英雄サムソンと異教の姫デリラが繰り広げる愛の物語で、1877年にヴァイマール宮廷劇場で初演されました。
「あなたの声に私の心は開く」は、デリラがサムソンを誘惑し、罠に陥れようとする第2幕第3場で歌われるアリアで、オルガニストでもあるフランスの作曲家カミーユ・サン＝サーンス（1835〜1921）によって作曲されました。

私のお父さん　歌劇『ジャンニ・スキッキ』より
O mio babbino caro "Gianni Schicchi"
Giacomo Puccini

イタリアの詩人ダンテ・アリギエーリ（1265〜1321）の叙事詩『神曲』地獄篇第30歌を題材とした歌劇『ジャンニ・スキッキ』は、ジャコモ・プッチーニ（1858〜1924）によって作曲され、1918年にニューヨークのメトロポリタン歌劇場で初演されました。
大富豪ブォーソの遺産を巡る親戚間の騒動、スキッキの愛娘ラウレッタとブォーソの甥リヌッチョの恋をスキッキが解決していく様をコミカルに描いた喜劇です。
「私のお父さん」はラウレッタによって歌われるアリアで、アカデミー賞を受賞した映画『眺めのいい部屋』の主題歌としても起用されました。

間奏曲　歌劇『カヴァレリア・ルスティカーナ』より
Intermezzo sinfonico "Cavalleria Rusticana"
Pietro Mascagni

"田舎の騎士道" という意味のタイトルを持つ歌劇『カヴァレリア・ルスティカーナ』は、イタリアの小説家ジョヴァンニ・ヴェルガ（1840〜1922）による戯曲にもとづき、イタリアの作曲家ピエトロ・マスカーニ（1863〜1945）によって作曲されました。
舞台はシチリア島。兵役帰りの若く貧しいトゥリッドと、彼の元許嫁であった人妻ローラとの関係のなりゆき、そしてローラの亭主アルフィオとの決闘を描いています。
1890年に開催されたソンツォーニョ・コンクール（楽譜出版社であるソンツォーニョ社が主催した歌劇コンクール）で初演され、圧倒的な支持を受け最優秀作品に選出されました。
劇中で演奏されている「間奏曲」の美しいメロディーは、後に歌詞が付けられ「マスカーニのアヴェ・マリア」としても広く知られています。

清らかな女神　歌劇『ノルマ』より
Casta diva "Norma"
Vincenzo Bellini

フェリーチェ・ロマーニ（1788〜1865）による台本で1831年にミラノのスカラ座で初演された歌劇『ノルマ』は、ヴィンチェンツォ・ベルリーニ（1801〜1835）によって作曲されました。
紀元前50世紀、支配下にあるガリア地方のローマへの反乱を背景に、双方の立場にある巫女ノルマの物語です。
「清らかな女神」は第1幕のドルイド教徒たちを率いたノルマが儀式をおこなう場面で歌われるアリアです。
難度の高い歌劇のひとつと考えられており、ソプラノ歌手マリア・カラス（1923〜1977）は「全てのアリアの中でもっとも難しい」と語ったそうです。

エルザの大聖堂への行列　歌劇『ローエングリン』より
Elsa's procession to the cathedral "Lohengrin"
Richard Wagner

歌劇『ローエングリン』は、ドイツの作曲家リヒャルト・ワーグナー（1813〜1883）が台本と作曲を手がけ、1850年にヴァイマール宮廷劇場でフランツ・リスト（1811〜1886）の指揮によって初演されました。
舞台は10世紀前半のアントウェルペン。ブラバント公国の世継ぎであるゴットフリートを姉のエルザが殺したという容疑をかけられます。そこへ白鳥の騎士ローエングリンが登場し、エルザを救い出します。2人は結ばれますが、「自分の身元や名前を決して尋ねてはならない」という約束をします。ところがその約束をエルザは破ってしまい、破局を迎えてしまうという物語です。
「エルザの大聖堂への行列」は、結婚式のために大聖堂へ向かう第2幕で演奏されます。

私を泣かせて下さい　歌劇『リナルド』より
Lascia ch'io pianga "Rinaldo"
Georg Friedrich Händel

歌劇『リナルド』は、ジャコモ・ロッシ（1710〜1731）による台本で、イギリスの作曲家ゲオルク・フリードリヒ・ヘンデル（1685〜1759）が作曲し、1711年にロンドンのヘイマーケット女王劇場で初演されました。

原作はトルクァート・タッソ（1544〜1595）によって著された11世紀のエルサレムを舞台とした叙事詩『解放されたエルサレム』で、十字軍とイスラム教徒の闘いを描いた物語です。

「私を泣かせて下さい」は第2幕で歌われるアリアで、魔術師に囚われの身となった女性アルミレーナが、恋人リナルドを想い自分の悲運を嘆く場面で歌われます。

美しい夕暮れ
Beau soir
Claude Debussy

ポール・ブルジェ（1852〜1935）が書いた詩に、フランスの作曲家クロード・ドビュッシー（1862〜1918）が16〜17歳の頃に曲をつけた歌曲です。

「さざめく波は海へと、そして私たちは墓場へとやがて去っていくのだろうか」という詩は、命に終わりがあるからこそ、今が輝くということを描写しています。

ヴォカリーズ　『14の歌曲集』より
Vocalise "14 Romances"
Sergei Rachmaninov

1912年に出版された『ソプラノまたはテノールのための《14の歌曲集》』の終曲にあたる「ヴォカリーズ」は、ロシアの作曲家セルゲイ・ラフマニノフ（1873〜1943）によって作曲され、ロシアのソプラノ歌手アントニーナ・ネジダーノヴァ（1873〜1950）に献呈されました。

タイトルにもなっている「ヴォカリーズ」とは、フランス語で"母音歌唱"のことで、歌詞はなく「アー」といった母音のみで歌うことをいいます。1916年にラフマニノフのピアノによって初演をおこなったネジダーノヴァに「どうしてこの歌には歌詞がないのですか？」と尋ねられたラフマニノフは「なぜ歌詞が必要なんだ。君のその声と音楽性だけで、言葉以上に深く表現できるではないか」と答えたといわれています。

美しいドゥーン川の岸辺
Ye banks and braes o' Bonnie doon
Scotland Folk Song

スコットランドに古くから伝わる民謡を収集し、ロバート・バーンズ（1759〜1796）が歌詞をつけました。日本では、「思いいづれば」という唱歌でも親しまれています。

亡き王女のためのパヴァーヌ
Pavane pour une infante défunte
Maurice Ravel

ルーヴル美術館に展示されたスペインの宮廷画家ディエゴ・ベラスケス（1599〜1660）が描いた若い王女マルガリータ・テレサ（1651〜1673）の肖像画からインスピレーションを得て、フランスの作曲家モーリス・ラヴェル（1875〜1937）が作曲しました。パリ音楽院在学中に作曲した初期の作品で、1899年にピアノ曲として発表し、1910年には"管弦楽の魔術師"と呼ばれる自身の手によって管弦楽曲にも編曲されており、ラヴェルを代表する作品のひとつです。

ラヴェルは自動車事故により記憶障害になってしまった際、この曲を聴いて「この曲はとてもすばらしい。誰が書いた曲だろう。」と言ったといわれています。

夢
Rêverie
Claude Debussy

クロード・ドビュッシー（1862〜1918）がピアノ曲として1890年頃に作曲しました。

現在ではCMなどでも起用されており、メロディーの美しさからジャズやムード音楽などにも編曲され、広く知られている曲ですが、作曲された当時はドビュッシーの初期の作品ということもあり、楽譜が出版されるまでに何年もかかったあげく、本人の確認を取らずに出版されてしまったそうです。それを不愉快に思ったドビュッシーは「経済的な苦境から、必要に迫られて何年も前に大急ぎで作曲したものだから、重要でもないし、はっきり言って良くないと思う」と言っていることから、ドビュッシー自身、この楽曲を評価してはいなかったようです。

チャルダッシュ
Czardas
Vittorio Monti

ヨーロッパで人気を博していた"ハンガリーの舞踏"と"チャルダッシュ"のスタイルで作曲されたのが、イタリアの作曲家ヴィットーリオ・モンティ（1868〜1922）の「チャルダッシュ」です。マンドリンの独奏曲として作曲されましたが、20世紀にはヴァイオリニストの技巧を披露する定番の曲となりました。

"チャルダッシュ"とはハンガリーの代表的な民族舞曲のことで、「酒場風」という意味です。多くのジプシー楽団がこの曲をレパートリーにしており、19世紀にはウィーンをはじめヨーロッパ中で大流行し、ウィーン宮廷では一時期"チャルダッシュ"禁止の法律を公布したといわれています。

モンティは、生まれ故郷であるナポリでヴァイオリンと作曲を学び、晩年は指揮者としてパリでバレエやオペレッタなどを作曲していますが、「チャルダッシュ」以外ではあまり知られていません。

誰も寝てはならぬ 歌劇『トゥーランドット』より
Nessun dorma! "Turandot"

Giacomo Puccini

CD Track 1

あなたの声に私の心は開く　歌劇『サムソンとデリラ』より

Mon cœur s'ouvre à ta voix "Samson et Dalila"

Camille Saint-Saëns

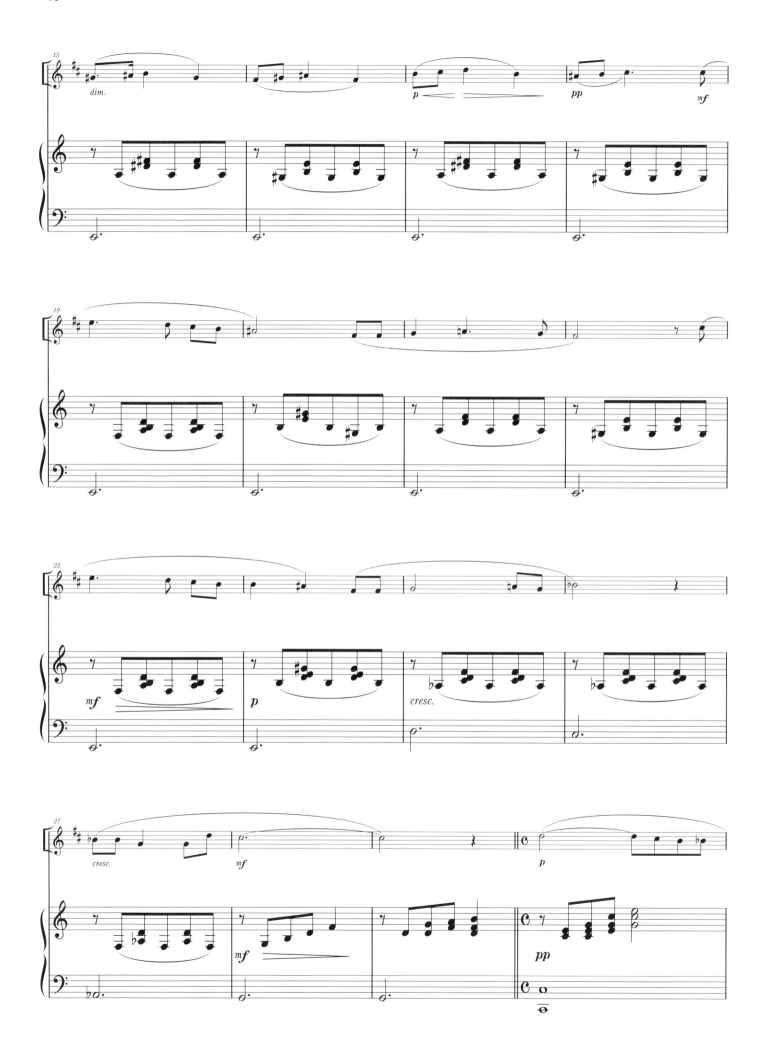

私のお父さん 歌劇『ジャンニ・スキッキ』より

O mio babbino caro "Gianni Schicchi"

Giacomo Puccini

CD Track 3

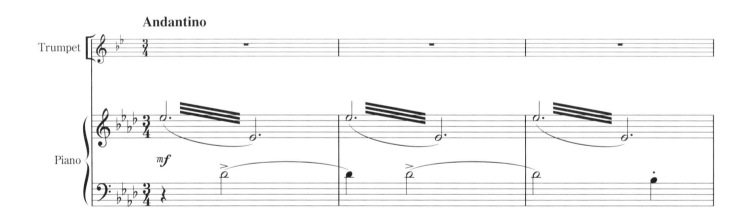

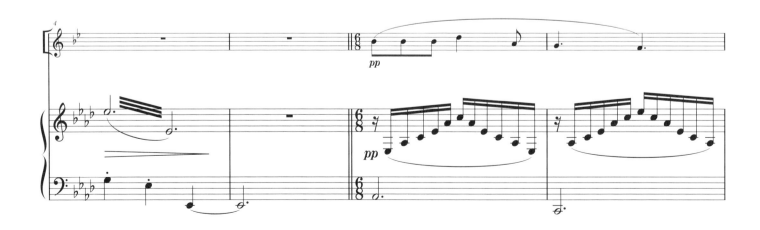

間奏曲 歌劇『カヴァレリア・ルスティカーナ』より
Intermezzo sinfonico "Cavalleria Rusticana"

Pietro Mascagni

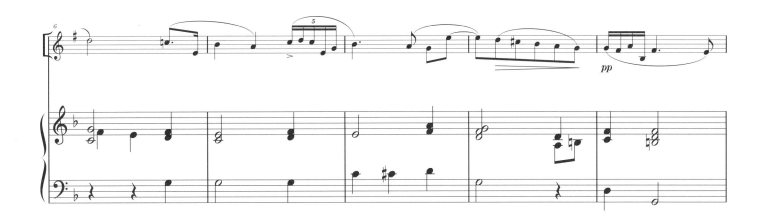

清らかな女神 歌劇『ノルマ』より
Casta Diva "Norma"

Vincenzo Bellini

20

エルザの大聖堂への行列 歌劇『ローエングリン』より
Elsa's procession to the cathedral "Lohengrin"

Richard Wagner

CD Track 6

23

私を泣かせて下さい 歌劇『リナルド』より
Lascia ch'io pianga "Rinaldo"

Georg Friedrich Händel

美しい夕暮れ
Beau soir

Claude Debussy

CD Track 8

ヴォカリーズ 『14の歌曲集』より
Vocalise "14 Romances"

Sergei Rachmaninov

34

美しいドゥーン川の岸辺
Ye banks and braes o' bonnie doon

Scotland Folk Song

CD Track 10

亡き王女のためのパヴァーヌ
Pavane pour une infante défunte

Maurice Ravel

CD Track 11

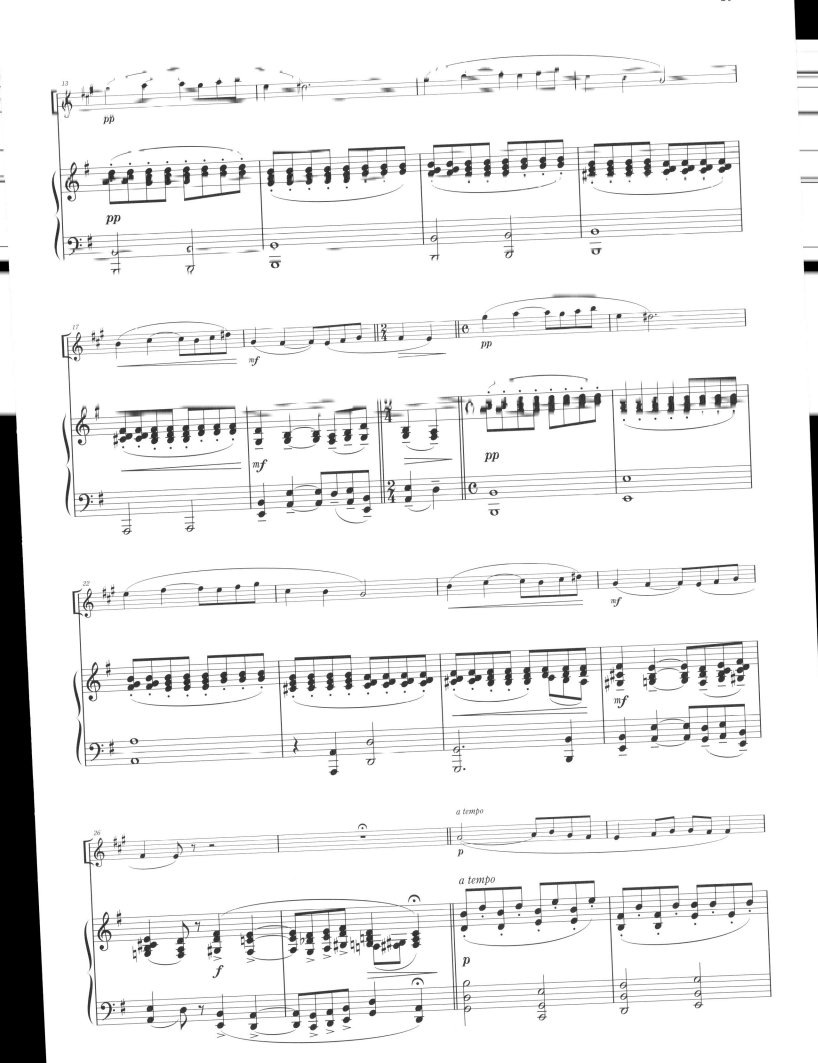

En animato peu

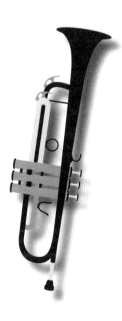

チャルダッシュ
Czardas

Vittorio Monti

Allegro vivace

52

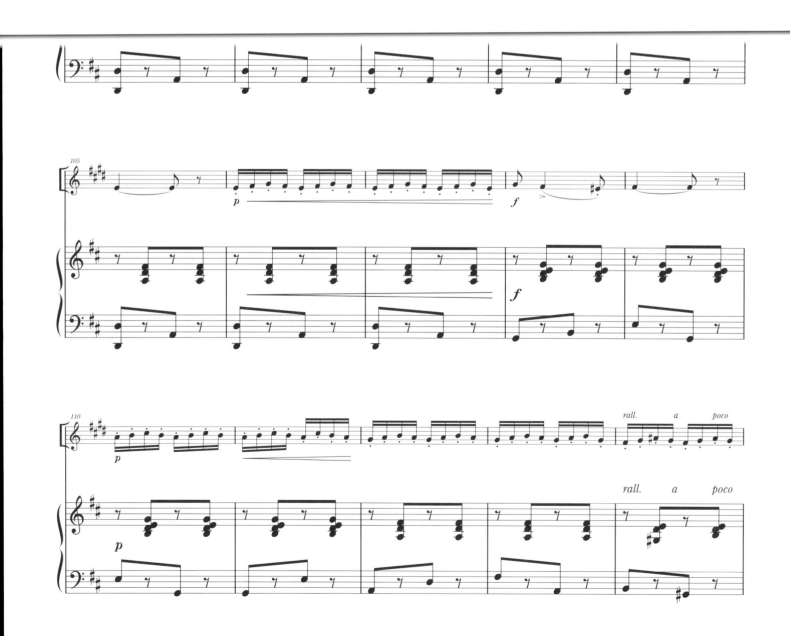

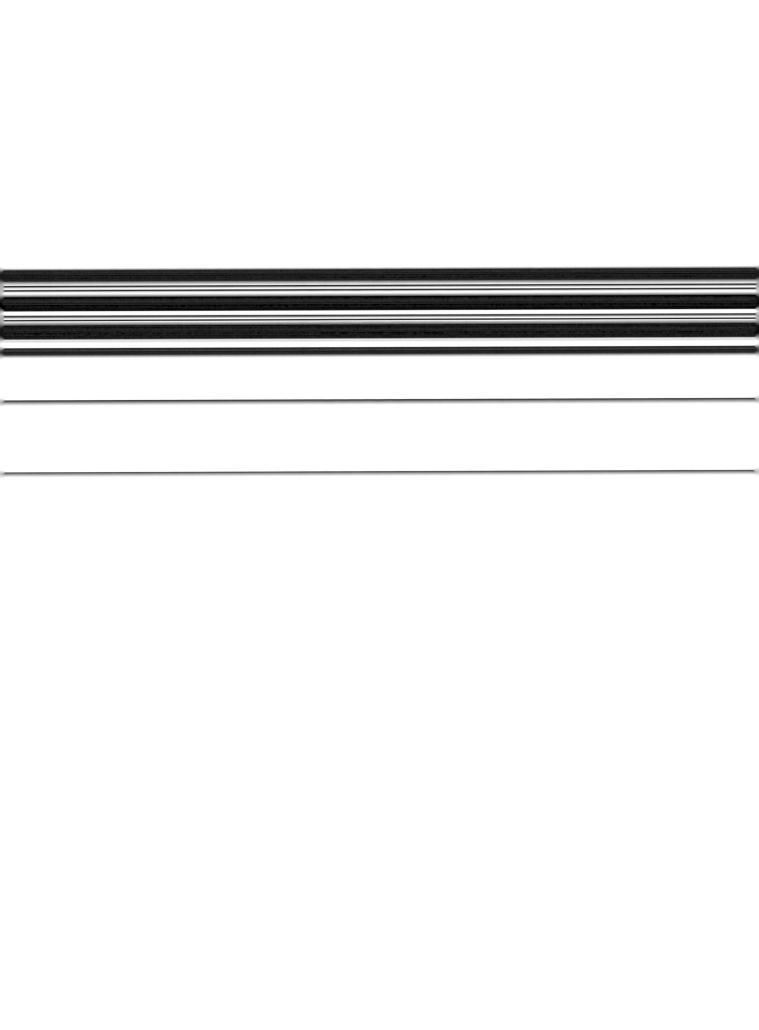

誰も寝てはならぬ 歌劇『トゥーランドット』より

Nessun dorma! "Turandot"

Giacomo Puccini

CD Track 1

あなたの声に私の心は開く 歌劇『サムソンとデリラ』より

Mon cœur s'ouvre à ta voix "Samson et Dalila"

Camille Saint-Saëns

私のお父さん 歌劇『ジャンニ・スキッキ』より

O mio babbino caro "Gianni Schicchi"

Giacomo Puccini

CD Track 3

間奏曲 歌劇『カヴァレリア・ルスティカーナ』より

Intermezzo sinfonico "Cavalleria Rusticana"

Pietro Mascagni

清らかな女神 歌劇『ノルマ』より
Casta Diva "Norma"

Vincenzo Bellini

エルザの大聖堂への行列 歌劇『ローエングリン』より

Elsa's procession to the cathedral "Lohengrin"

Richard Wagner

私を泣かせて下さい 歌劇『リナルド』より

Lascia ch'io pianga "Rinaldo"

Georg Friedrich Händel

美しい夕暮れ
Beau soir

Claude Debussy

CD Track 8

ヴォカリーズ 『14の歌曲集』より
Vocalise "14 Romances"

Sergei Rachmaninov

CD
Track
9

美しいドゥーン川の岸辺
Ye banks and braes o' bonnie doon

Scotland Folk Song

亡き王女のためのパヴァーヌ
Pavane pour une infante défunte

Maurice Ravel

夢
Rêverie

Claude Debussy

チャルダッシュ
Czardas

Vittorio Monti

トランペット・アルバム　クラシック名曲選／パート譜
発行　（株）ショパン

トランペット・アルバム 伴奏CD付

クラシック名曲選

2010年1月31日　初版発行

定　価　　本体2,500円＋税

発行人　　内藤克洋

発行所　　株式会社ショパン
　　　　　〒153-0061
　　　　　東京都目黒区中目黒3-5-5-301
　　　　　Tel　03-5721-5525
　　　　　Fax　03-5721-6226
　　　　　振替　00140-6-15241
　　　　　http://www.chopin.co.jp

制作協力　　株式会社アルスノヴァ

印刷所　　日本ハイコム株式会社